MW01093822

Papa doit manger

DU MÊME AUTEUR

QUANT AU RICHE AVENIR, *roman,* 1985
LA FEMME CHANGÉE EN BÛCHE, *roman,* 1989
EN FAMILLE, *roman,* 1991
UN TEMPS DE SAISON, *roman,* 1994
LA SORCIÈRE, *roman,* 1996
HILDA, *théâtre,* 1999
ROSIE CARPE, *roman,* 2000

Aux éditions P.O.L

COMÉDIE CLASSIQUE, *roman,* 1987

MARIE NDIAYE

Papa doit manger

LES ÉDITIONS DE MINUIT

L'ÉDITION ORIGINALE DE CET OUVRAGE A ÉTÉ TIRÉE À TRENTE-CINQ EXEMPLAIRES SUR VERGÉ DES PAPETERIES DE VIZILLE, NUMÉROTÉS DE 1 À 35 PLUS SEPT EXEMPLAIRES HORS COMMERCE NUMÉROTÉS DE H.-C. I À H.-C. VII

ISBN 2-7073-1798-5

PERSONNAGES :

MINA
AMI
PAPA
MAMAN
ZELNER
ANNA
GRAND-MÈRE
GRAND-PÈRE
TANTE JOSÉ
TANTE CLÉMENCE

I

Papa. – C'est moi, mon oiseau. C'est moi. Papa est revenu.

Mina. – Retirez votre pied, ne coincez pas la porte, s'il vous plaît. On m'empêchera de descendre jouer pendant trois jours.

Papa. – C'est moi, enfant. Je suis Papa et je suis revenu.

Mina. – Mais, maintenant, partez, partez ! Chut. Je serai punie.

Papa. – Papa est revenu, Papa entrera, enfant... perfide, grandie si vite. Laquelle de mes deux filles es-tu ? N'aie crainte, petite méchante. C'est moi. J'entrerai.

Mina. – Maman veut de l'ordre et du chic, Maman veut que la perfection nous garde et nous sauve. Soyez gentil. Il faut partir bien doucement, s'il vous plaît.

PAPA. – Laquelle de mes deux filles es-tu ? L'aînée ? C'est impossible à dire. Eh bien ?

MINA. – Je suis Mina.

PAPA. – Mina, Papa est revenu. C'est moi, Papa. Mais qui est Mina ?

MINA. – Ma sœur Ami a dix ans. Maman a beaucoup de talent pour coiffer, alors est-il juste qu'elle ne soit qu'une shampouineuse parmi les autres ? Non, elle nous apprend à penser que c'est mal fondé et injurieux.

PAPA. – Papa est revenu mais Papa ne savait pas, Mina, que les enfants changent aussi vite. Papa croyait que les enfants attendraient son retour avant d'avoir l'air de parfaits inconnus. Comme tu dois être contente ! Car c'est moi, enfin revenu, ma petite. Allons, laisse-moi entrer. Enlève cette chaîne. J'entrerai, sais-tu. Oui, j'entrerai, puisque je suis ton père.

MINA. – Il ne faut pas ! S'il vous plaît. Maman nous apprend que le tumulte ne doit jamais passer notre seuil, et cet immeuble est plein de confusion qui ne cherche qu'à pénétrer.

PAPA. – Ne pleure pas ! Allons bon. Eh, enfant, quelle histoire !

MINA. – L'agitation et le dérèglement n'ont pas leur place dans l'appartement de Maman.

PAPA. – Mais Papa revient et c'est un miracle. Tu seras heureuse, enfant, car je suis ton père, je suis riche et je veux que Maman me reprenne. Regarde. La peau de Papa est aussi noire que peut l'être la peau humaine. Ma peau est d'un noir ultime, insurpassable, d'un noir miroitant parmi lequel mes yeux foncés paraissent presque délavés. Alors, enfant, sache dès à présent que cette teinte absolue et impérieuse de ma peau me donne l'avantage sur les peaux mates comme la tienne. Sache-le maintenant, pour le comprendre plus tard.

MINA. – Tout est injuste.

PAPA. – L'indiscutable supériorité de mon aspect. Maintenant, petit oiseau, ouvre-moi. Laisse entrer Papa, laisse-le revenir paisiblement.

Mina. – La paix, certes, nous l'aimons.

Papa. – Je reviens fier, heureux, aisé, si fier, si heureux et si riche. Je suis là, prêt à retrouver Maman. Eh, ma fille, crois-tu qu'elle me reprendra ?

Mina. – Maman travaille chez Boucle d'or, mais très en dessous de ses capacités.

Papa. – Pendant dix ans Maman m'a cru mort, mais, loin de vous, je prospérais, j'engrangeais, je m'élevais, pour revenir aujourd'hui dans tout l'éclat de mon succès et de mon apparence. Dis-moi, enfant : est-ce que Maman s'est distraite, a pris un peu de bon temps ?

Mina. – Maman est beaucoup plus gaie que nous. C'est pourquoi, souvent, elle nous dit : vous avez le rire difficile, chères petites mortes. Ah, oui, Maman est gaie. Oui, oui, elle s'amuse. Elle est drôle.

Papa. – Je suis là, enfin, après tant de hasards, mais Maman devait-elle rester à m'attendre dans la solitude et le tracas ? Non, je l'admets très humblement. Qui que ce soit qu'elle ait dans sa vie, elle en a le droit, et je l'accepte et le trouve bien. Dix ans ont passé – mais es-tu bien sûre qu'il y a si longtemps que je suis parti ? Je n'ai pas le souvenir d'un aussi grand nombre d'années... Maman certainement a fait pour le mieux. A présent c'est moi, Papa. Oh la la, enfant, comme tu trembles ! Veux-tu des pâtes de fruits ? C'est Papa, Papa, qui est là. Je veux du calme, de la joie bien mesurée...

MINA. – Nous écoutons Maman, bien qu'elle tire plus de plaisir que nous à faire toute chose. Nous... nous l'aimons plus que nous-mêmes... bien que nous ne sachions pas rigoler aussi spontanément. Alors, pas de désordre, pas d'ennuis... C'est que Maman n'a pas pu finir ses études de coiffure, suite au départ de mon père il y a dix ans. N'est-ce pas profondément désolant, regrettable ?

PAPA. – Je veux que Maman soit convaincue de mon humilité, quoique je sois riche, important. Pourquoi trembler ainsi, claquer des dents, comme si je te secouais alors que, eh bien, ma fille, je ne t'ai pas encore touchée, pas même encore embrassée...

Mina. – On lave les cheveux, on prépare une tête dont on ne s'occupera pas, on est pourtant plus douée que beaucoup, et jamais on n'aura son salon à soi. Pauvre Maman, la plus gaie d'entre nous tous ! Il a bien conscience de ce gâchis, de cette tristesse, Zelner.

Papa. – Zelner ? Oui.

Mina. – Et le coupable : mon père qui a décampé on ne sait pourquoi, on ne sait où. C'était au printemps, se rappelle Maman, et les printemps de Courbevoie ne sont cependant pas les pires, et il y a pire à Courbevoie, nous dit Maman, que d'y connaître ses printemps. Voilà qui est incompréhensible.

Papa. – Ce Zelner, enfant ? Un fiancé de Maman ?

Mina. – Elle nous dit qu'il est précieux, elle nous dit qu'il est intelligent et dévoué, elle nous dit que c'est un professeur de lettres. Maman doit faire effort chaque jour pour mériter l'intérêt et peut-être même l'espèce d'amour (elle ne sait pas) qu'il éprouve pour elle, ce professeur de lettres au lycée de Courbevoie. Car, il y a dix ans, son mari s'est sauvé. Que peut-on changer à cela ? Il n'y a rien à ajouter, sauf que c'est humiliant et qu'il faut travailler à ne jamais vivre une seconde fois un tel affront, travailler, nous dit Maman, à se rendre incomparable. Elle nous dit que c'est bien fatigant. Elle se laisse tomber dans le canapé et, oui, elle est parfois rompue d'avoir à se montrer digne qu'on la garde auprès de soi. Mais elle est gaie. Comme elle est, souvent, réjouissante, spirituelle ! C'est beaucoup de travail. De sorte qu'il ne faut pas risquer de la bousculer davantage.

PAPA. – Assez, assez. Tu n'as pas, enfant, à m'ordonner quoi que ce soit. Jamais. Papa est revenu, c'est moi. Et Papa te commande d'ouvrir et de cesser de gémir.

MINA. – Êtes-vous riche ? Il faut de l'argent. Nous n'en avons pas, nous en manquons et, nous dit-elle, ce n'est pas le plus grave, non, ce n'est pas le plus grave. Mais il n'en reste pas moins... que c'est difficile. Alors, si vous avez de l'argent, je peux voir à vous laisser entrer un tout petit peu, je peux...

PAPA. – Mon enfant ! Ma petite ! Pardon, je suis fautif, laquelle es-tu ?

MINA. – Je m'appelle Mina, dite Nana.

PAPA. – Je vous donnerai beaucoup, je vous couvrirai de tout ce que vous n'avez pas, si Maman me reprend. Dis-moi une dernière chose – dis-moi s'il y a eu en dix ans, dans la vie de Maman, non pas d'autres professeurs de lettres, peu m'importe – qu'il y en ait eu peut-être quinze, vingt, même cela, vois-tu, j'y consens, – dis-moi, seulement, ma fille, s'il y a eu dans la vie de Maman un autre homme dont la peau était d'un noir absolu ? Dont les yeux sombres, à côté de sa peau, en semblaient presque clairs ?

Regarde-moi. Réponds, je t'en supplie. C'est Papa qui est là.

MINA. – Soit. Entre. Le professeur Zelner excepté, Maman n'introduit chez nous que les hommes qui souhaitent se faire tondre, et elle sait les renvoyer fermement dès que c'est achevé. Elle a acheté une excellente tondeuse, cependant l'investissement n'est pas encore rentabilisé car certains de ces hommes oublient de payer, et Maman...

Elle n'ose pas. Alors, entre. Les peaux, je ne les regarde pas, je ne les vois même pas. Toutes ces peaux !

Papa. – Voilà. Tu es donc ma fille Mina.

Mina. – Comment se fait-il que je ne puisse empêcher mes larmes de couler ? Ah, oui, c'est embêtant. Mon cher papa, tu...

Papa. – S'il y a une chose que je hais en ce monde, c'est bien la pleurnicherie. Et ce que je n'aime pas : les envolées, les scènes, les battements de cœur bruyants. Je ne tolère pas, enfant, que des joues, de belles joues lisses, soient mouillées et sirupeuses. Apprends à me connaître. Tu ne me connais pas, bon. Apprends, observe et obéis. Je te vois pleurer, par l'entrebâillement de la porte, et cela me déplaît, mais que tu pleures encore maintenant que je suis devant toi, je ne suis pas d'humeur à le supporter calmement.

Mina. – Maman non plus... n'aime pas nous voir pleurer. Elle est si gaie, si gaie..

Papa. – Tu ne me connais pas et tu pleures, voilà qui est étrange. Car je suis ton père, car je suis revenu, car je pouvais tout autant, n'est-ce pas, rester parti à jamais !

II

MINA. – Professeur ! Ami ! Papa est revenu.

PAPA. – Ami, ma fille, viens m'embrasser. Viens... Ne veux-tu pas embrasser Papa qui est parti faire fortune il y a dix ans et qui revient riche comme jamais ?

ZELNER. – Laissez-lui le temps d'en avoir envie, monsieur.

PAPA. – Viens m'embrasser, enfant. Je te le demande. Viens. Ton père est revenu.

MINA. – Embrasse-le. C'est Papa. Oh, je voudrais que personne ne se fâche.

PAPA. – Ce n'est pas à Courbevoie, dans ce quartier minable, que j'aurais réussi comme je l'ai fait. Que tout est laid, que tout est sale et vieux ! Viens m'embrasser, enfant, *je t'en intime l'ordre.* Papa ne craint personne, maintenant. J'ai prospéré et accumulé, j'ai acheté et vendu, racheté puis revendu. Ami, ma fille, ma toute petite, c'est à toi que je donnerai les pâtes de fruits si tu viens, là, tout de suite, m'embrasser.

ZELNER. – La maman n'a rien eu pendant dix ans. Pas un centime, pas un mot.

MINA. – C'est bien. Nous sommes contents, nous sommes simples, débrouillards.

PAPA. – Mais Papa est là, Zelner. Que croyez-vous que j'aurais pu devenir dans ce Courbevoie miteux ? Mes habiletés avaient besoin d'un autre cadre pour se développer. Tenez, regardez, touchez un peu ça : costume, chemise, montre, souliers. Regardez-moi. Approchez. Regardez mon visage. Ne voyez-vous rien de particulier ?

ZELNER. – Pas la moindre nouvelle, pas un geste pendant dix ans.

MINA. – C'est bien, c'est bien.

PAPA. – Constatez, Zelner. J'ai cinquante ans et j'en parais trente. Mon corps, mon visage : toute ma personne est d'une jeunesse insensée. J'ai réussi au-delà de mes espoirs les plus fervents, j'ai voyagé, commercé, négocié, j'ai amassé et me voilà. Que pensez-vous de Papa, Zelner ? Comment me trouvez-vous ? M'avez-vous secrètement redouté, détesté, avez-vous, Zelner, souhaité la mort de Papa au loin pour prendre sa place sans remords ? Au lieu de vieillir comme vous tous, j'ai rajeuni au fil des années, par la seule force de ma volonté et de mon désir de n'avoir plus jamais affaire à la vie de Courbevoie.

Mais, enfin, Zelner, portez-vous toujours ces pantalons de velours côtelé ? Et ces grosses chaussures confortables ? J'espère que ce n'est pas ma femme, de chez Boucle d'or, qui vous conseille de garder vos cheveux longs, et cependant je m'étonne qu'un professeur de lettres ait le droit de se présenter devant ses élèves avec les cheveux dans le dos.

ZELNER. – Vous osez dire encore : « ma femme »...

MINA. – Inutile de parler haut, et à quoi pourra bien nous servir le ressentiment, pas vrai ?

PAPA. – Avez-vous une idée derrière la tête concernant mon épouse ? Ami et Mina sont mes filles, mes chères belles petites cailles. Oui, Papa est revenu, Papa a prospéré. Regardez-moi ! Ma figure est maintenant celle d'un homme multiplié, tout pesant de ses entreprises et de son argent. J'ai pensé à vous chaque jour, enfants, en me disant : Comme elles seront fières de Papa ! Tenez, voilà pour vous : des pâtes de fruits *duty free*, achetées à Roissy. Ami, approche. Viens chercher. Viens m'embrasser. Fais-moi plaisir, ma petite, ma propre chair.

AMI. – C'est dégoûtant.

MINA. – Pas de colère, pas de mots, je vous en prie !

PAPA. – Dégoûtant ? Qu'est-ce qui est dégoûtant ? Je n'aime pas beaucoup ce langage, Zelner. J'espérais retrouver des petites bien élevées, douces comme des chattes, s'exprimant bien.

Dépêche-toi de me dire ce qui est dégoûtant.

AMI. – Les pâtes de fruits.

MINA. – Maman nous apprend que la vie est bonne et drôle quoique si chère, de sorte que l'argent, n'est-ce pas...

Papa. – Si Ami n'aime pas les pâtes de fruits *duty free*, nous nous débarrasserons des pâtes de fruits, immédiatement. Aucune importance. J'achèterai des chocolats belges ou du parfum américain, tout ce que vous voudrez je peux vous l'offrir, tout ce que vous demanderez je peux vous le donner. Mais il me semble que ma fille Ami ne veut rien, qu'elle me tourne le dos pour ne pas même risquer de m'être redevable de mes sourires, de ma gentillesse – comme je suis gentil avec les enfants ! Toi, mon autre fille, que veux-tu ? Demande, demande. Rappelle-moi, simplement, qui tu es.

Mina. – Mina, dite Nana. Il nous faudrait un tout petit peu plus de confort, car il n'y a que deux pièces et Maman a pour lit le canapé mais il arrive de plus en plus souvent qu'il refuse de se déplier, ce vieux canapé, aussi Maman doit se serrer sur les coussins, et son dos s'abîme, et ses jambes ne se reposent pas comme elles le devraient après tout ce temps passé debout. Nous sommes satisfaites et tranquilles, mais si nous avions une chambre supplémentaire, voilà qui rendrait la vie de Maman parfaitement enviable.

Papa. – Tiens, prends ce billet. Cent francs, c'est pour toi.

Zelner. – Nous avons pour principe de ne pas donner d'argent à l'enfant qui ne l'a pas expressément mérité par une excellente note ou un service rendu.

Papa. – J'ai fui Courbevoie pour ne pas dépendre d'un traitement de petit professeur de cinquante ans vautré dans un canapé orange en pantalon de velours et pull marin – cheveux gris, visage gris. Oh, tout cela, cette infinie médiocrité de banlieue, je l'ai en horreur ! Ici, oui, j'aurais vieilli et blêmi sans grâce, tandis que je me suis littéralement transfiguré et que, le chemin vers le délabrement, je l'ai suivi dans la direction opposée au sens commun. Je suis plus grand, plus svelte, plus lisse que je ne l'ai jamais été, plus noir de peau qu'on ne le sera jamais. J'ai agi et spéculé, j'ai soumis les événements à ma volonté et forcé l'existence à me traiter avec bienveillance. Et jamais, jamais, je n'éprouve rien de ce qu'éprouve monsieur Zelner. Oui, excusez-moi, oui, mille fois pardon, oui, merci d'avoir pris soin de ces deux filles que j'ai là. Mais, ce que je suis, ce que je suis devenu, ne l'oubliez jamais – l'aspect que je me suis fait, n'oubliez jamais d'en être impressionné.

MINA. – Mina, dite Nana, et l'on me voit comme une petite mère active, un peu soucieuse, mais il faut que notre père, puisqu'il est revenu, sache ce qu'il a devant lui. Comme je suis contente !

PAPA. – Je vous invite à l'hôtel Nikko. Nous y dînerons et, Zelner, vous serez des nôtres. Il y a, à l'hôtel Nikko, des choucroutes qu'on se rappelle toute sa vie. Vous nous véhiculerez car j'ai laissé ma voiture à l'aéroport.

MINA. – Je suis Mina, dite Nana, mais ma sœur Ami me fait honte. Papa est revenu, quel bonheur ! Et sommes-nous des filles tellement jolies, tellement minces et originales ? Rien n'est moins sûr.

ZELNER. – Où habitez-vous, monsieur ?

PAPA. – Tous les hommes d'affaire vivent à l'hôtel, Zelner, et ont peu de temps à consacrer à leur famille.

MINA. – Nous sommes des filles ordinaires alors que nous devrions, pour le retour de notre père, porter magnifiquement notre petite tête sombre, nous devrions...

Papa. – Alors, très froidement, Zelner, je vous regarde, et je me demande comment ma femme peut supporter une aussi complète absence d'élégance, ces lunettes aux verres sales, cet embonpoint, cette barbe floue, même cette sorte particulière d'accablante gentillesse que vous avez très certainement, Zelner, mais vous êtes là, choisi et amené par ma femme, dans le vieux canapé orange que j'ai connu, et je m'y soumets, je m'y soumets, malgré la bizarrerie de ceci : si la femme qui vous aimait avec un excès presque gênant, en aime un autre si contraire à vous, cela ne signifie-t-il pas que cet autre vous ressemble malgré tout ? C'est bien étrange.

Mina. – Notre père est là, il faudrait que tu partes, professeur. Nous sommes tous, ici, des gens un peu décevants. Je voudrais tant qu'on se réjouisse.

Papa. – Cette fille-là ouvre la bouche mais on n'entend rien. Elle parle et parle dans la langue des carpes, les grosses carpes de rivière à la chair grise, au goût de vase. N'êtes-vous pas un peu trop grosses et lourdes, mes filles ? Deux belles chattes gracieuses et pas trop nourries : c'était mon espoir, non, ma certitude.

ZELNER. – Nous avons pour principe de nous exprimer différemment ! Ce n'est pas ça du tout, pas ça du tout !

MINA. – Je suis Mina, dite Nana, et il faut se réjouir !

PAPA. – L'aînée de mes filles pleure encore. C'est détestable. J'aurai un fils, de nombreux fils pareils à moi. Je suis riche. J'ai de l'orgueil, une prestance. Surtout, je suis riche. Dans quoi roulez-vous, Zelner ?

ZELNER. – J'ai une Simca 1000. Ne comptez pas sur moi pour vous balader.

PAPA. – Vous nous conduirez tous à l'hôtel Nikko où vous serez mes hôtes. Cela ne doit pas vous arriver souvent, dans cette petite vie de Courbevoie, d'aller au restaurant. Je suis riche !

ZELNER. – Je comprends chacun des mots que vous employez mais, le sens de la totalité, je ne le comprends pas. Je suis professeur de lettres. Rien de ce que vous représentez ne doit exister pour nous.

MINA. – Je suis Mina et Maman nous dit qu'il n'est pas facile de conserver la beauté du geste derrière ces façades décrépites. Elle s'y essaie, elle est gaie, elle est raffinée et précise. Contentez-vous de murmurer, s'il vous plaît !

PAPA. – Il faudrait que ces deux filles maigrissent considérablement, Zelner. Je suis riche et je veux être séduit.

ZELNER. – J'enseigne le français, la littérature et le latin. Ce que vous êtes n'existe pas.

PAPA. – *Vade retro*, Zelner ! Papa est revenu, je suis chez moi et mon argent me donne tous les droits. Arrière ! Hippie, Satan, répugnant personnage ! Je veux qu'on me plaise à tout prix, je veux qu'on ait envie de mes récompenses, je veux de l'obséquiosité et de la fascination, puisque à présent je suis riche. Mes poches sont pleines. Regardez, cent francs et cent francs et encore cent francs – ah, minute : il faut dire, Père, s'il te plaît, nous deviendrons de belles petites bêtes fines et longues, de splendides sauterelles dépourvues de la moindre graisse sous le menton, si tu nous donnes ce petit billet. Je veux que ces filles-là, mes filles, deviennent chères, exigeantes, intouchables à moins d'y mettre le paquet. C'est pour cela que je suis revenu, pour être caressé, envié, flatté dans mon amour-propre, pour être cajolé et supplié par de jolies bouches roses murmurantes – Père, il nous faut plus d'argent car nous avons des besoins, des désirs compliqués de jeunes filles inexplicables et si belles, si rayonnantes... Qui, enfin, s'avancera vers moi pour prendre ces pâtes de fruits, qui m'en remerciera ? Et la choucroute à l'hôtel Nikko, ce soir ? Qui ?

MINA. – Il faut dire oui, professeur.

ZELNER. – Attends que Maman rentre avant d'accepter n'importe quoi.

III

MAMAN. – Qui accepte n'importe quoi ?

Ahmed, je savais que tu étais là. On

entend ta voix depuis le bas de l'immeuble.

Mon dieu.

MINA. – Papa est revenu.

MAMAN. – N'en crois rien, ma petite fille. Mais peu importe. Mes enfants, ne croyez rien de ce que Papa peut vous dire.

Mon dieu.

Que nous as-tu donc fait, Ahmed ?

PAPA. – On m'appelle Aimé. Je suis un homme d'affaires.

MAMAN. – Pendant des années et des années, chaque soir je me voyais rentrer et te trouver là.

Mais je n'y pensais plus. Et voilà que c'est arrivé. Voilà que, tout à l'heure, je reconnais depuis le hall la voix de mon mari parti pendant dix ans, j'ai peur, je tremble, je m'assieds dans un coin de l'escalier en me demandant si je serais jamais capable de monter. Et je me lève tout de même et mes genoux cognent l'un contre l'autre et j'ai envie de vomir et je me dis, tout en grimpant marche après marche très lentement, je me dis : Quelle femme convenable tu fais...

ZELNER. – Il s'exprime d'une manière que nous ne pouvons tolérer ici.

MAMAN. – Mais je suis tellement heureuse, Ahmed, tellement... de te voir, simplement.
Comme tu parais jeune. Qu'as-tu fait pour paraître aussi jeune ?

PAPA. – Je suis revenu. Puis-je t'embrasser ?

MAMAN. – Ah, je ne sais pas, je ne sais pas. Mon dieu.
Mes enfants, n'écoutez rien de ce que dit Papa, ne faites confiance qu'au professeur pour ce qui est de la vérité.

PAPA. – Les enfants aimeront mieux être du côté de Papa que du côté de la vérité. Ma femme, tu es belle, tu es merveilleuse et tu m'honores. Mais comme tu es, aussi, curieusement blonde, comme tes cheveux semblent fins et légers ! Ma femme, je te retrouve et tu es ma gloire !
Je suis riche. Je suis grand.
Reprends-moi.

MAMAN. – Tu m'as empêchée de finir mon apprentissage, mais j'aurais ouvert mon salon, moi aussi j'aurais réussi.

PAPA. – Tout ce qu'on peut faire pour exprimer conventionnellement, non pas des regrets mais une demande de clémence et de pardon, j'y suis prêt : me mettre à genoux, te prendre les mains. Tout ce que tu veux. Je peux tout faire. Pardonne-moi. Je te supplie de me pardonner et de me laisser reprendre ma place. Car, à présent, rien ne m'atteint. Rien ne peut froisser ni détruire Papa. Oui, Papa est revenu, Papa ne vieillira jamais.

MAMAN. – Mon dieu, Ahmed, comme je t'ai aimé.

PAPA. – Il faut m'appeler ainsi : Aimé, puisque c'est Aimé que le business a rendu puissant.

ZELNER. – Ce type n'existe pas. Ne lui parle pas, assieds-toi, repose-toi. Je vais masser tes chevilles.

MAMAN. – Tu as disparu tout simplement comme si ta route avait bifurqué et que tu t'étais égaré irrémédiablement. Et il ne me manquait que quelques petits mois pour avoir mon diplôme, pouvoir être à mon compte, donner des ordres. Mais je t'aimais infiniment, déraisonnablement, et jamais je ne pourrai plus aimer comme je t'ai aimé, c'est ainsi, que Zelner me pardonne. J'aurais été patronne, j'aurais choisi mon enseigne, modifié mon prénom. Oh, toute ma vie en aurait pris une douceur et une grâce que je me représente très bien.

MINA. – Maman est drôle, Maman est drôle !

MAMAN. – A quel point je t'ai aimé, c'est une folie. C'est au-delà de ce que tu peux concevoir, bien loin hors des limites de ta sensibilité. Je ne peux que te le dire. Mais, à quel point... J'aurais ma petite entreprise florissante, des employées, de l'argent, je suis née pour coiffer et diriger.

PAPA. – Je domine car j'ai réussi mais je dominerais en n'ayant rien. Ce serait la même chose. Il suffit de cela : c'est moi, Papa. Vide, dépouillé, ne serais-je pas toujours tel que vous me voyez ? Comme tu es grandiloquente, ma femme. Reprends-moi.

MAMAN. – Mon dieu, professeur, pardon.

Que dois-je faire ? Nous voilà tout bonnement dans une situation humiliante et triste.

ZELNER. – Je vais frotter tes mollets, graisser tes pieds. Il faut que la peau chauffe.

MINA. – Si mon père, au printemps, pouvait nous emmener loin de Courbevoie !

PAPA. – Pourquoi l'autre fille n'ouvre-t-elle même pas la bouche ? Pourquoi ont-elles les jambes épaisses et les doigts courts ? Pourquoi si claires, si mornes, si grises ? Et le langage des poissons ? Ma chérie, laisse-moi revenir.

MAMAN. – J'avais pour mon mari un amour pétrifiant.

MINA. – Parle-lui d'abord de l'argent, ma petite Maman, ou il sera trop tard et tu n'y penseras plus. Surtout, pas trop d'amour mais le vieux canapé, une chambre supplémentaire, l'amortissement de la tondeuse, le tutu d'Ami... L'argent, l'argent, l'argent.

PAPA. – Il m'est odieux de compter. Je suis là, chez ma femme charmante, et je vais faire entrer un peu de joie dans cette maison.

MAMAN. – Voilà, ce que j'avais cessé de désirer s'est produit, ce que j'avais fait tant d'efforts pour cesser de le désirer, voilà que j'y succombe.

Mon mari est revenu.

Je le regarde et je l'aime !

Comme c'est humiliant.

ZELNER. – C'est une illusion. Aucun de nous ici n'en croit rien.

MAMAN. – J'étais la France.

J'étais la France entière pour lui. Pas un être, pas une belle fleur immobile et fraîche, pas un objet d'amour. Non, il ne le voyait pas, et bien plus que cela : toute la France au bras de laquelle il se montrait, plus haut, plus fin, plus beau qu'elle.

MINA. – Il faut payer les leçons de musique.

MAMAN. – Les leçons de musique dûment payées pour mes deux filles attestent de mon sérieux. Je sais que j'y manque parfois, oh, je le sais.

MINA. – Elle dit que la fréquence des leçons de musique doit être mesurée à la décrépitude de la façade, de sorte que, nous dit Maman, il nous faut connaître toute la musique d'autant plus parfaitement que nous baissons, que nous chutons. Il est interdit de vivre ici, dit Maman, sans musique, mais que connaît-elle à la musique ?

MAMAN. – Mon mari est revenu : qui se moque de moi ? Mais je l'aime et j'en suis glacée, anéantie – pourtant, quel bonheur qu'il soit encore mon mari.

ZELNER. – As-tu bien appris l'usage des propositions dépendantes hypothétiques et des propositions relatives déterminatives ? Je ne me mêle pas du reste. Je t'enseigne et je te frictionne. Et ce que je te donne, c'est pour ta valeur et ta volonté de t'élever. Qu'as-tu retenu, cette semaine ?

MAMAN. – J'ai tout oublié. Je suis une mère négligente. Il y aura moins de musique.

MINA. – Zelner apprend les expressions de la grammaire à Maman et chaque morceau correctement récité est rétribué d'un billet qui paye la leçon de musique. Maman n'étudie pas toujours bien. Il nous arrive d'avoir honte. Il nous arrive de manquer la leçon de musique parce que Zelner s'est montré insatisfait de notre mère.

ZELNER. – Nous avons une vie sexuelle équilibrée. Et les impropriétés de langage s'atténuent.

MAMAN. – Comme tout cela est douloureux et confus ! Quelle sorte de mère suis-je donc ? Je ne sais pas, mais voilà mon mari et c'est son visage à lui qui me paraît familier et légitime, c'est ce visage que j'ai envie de caresser et de pincer, mais pourquoi donc ? Pas de place pour la rancœur, les justes griefs, la dignité blessée et froide – pourquoi donc ? Être une femme à la douleur solennelle, imposante, ou à la mémoire brève et lui dire : Toi ? Je n'y pensais plus... Mais, mon dieu, professeur, il ne faut pas parler de la vie sexuelle, il ne le faut pas ! Comment peut-on ?

ZELNER. – Nous avons des rapports sexuels bi-hebdomadaires et satisfaisants pour l'un comme pour l'autre. Je t'apprends les accords, les syntagmes, les désinences. Tout va bien. Nous avons une vie sexuelle très...

MAMAN. – Tu es un homme parfait et qui vaut mieux que lui. Oui. Ne parle pas de cela, je t'en supplie.

MINA. – Pas de dispute ! Nous ne pouvons pas le supporter. Car sommes-nous, toutes les deux, des filles dont il est flatteur d'être le père ? Il apparaît que non, il apparaît que non. Le père qui resurgit doit être agréablement surpris, lorsque ses mains sont pleines.

ZELNER. – Nous avons une vie sexuelle...

MAMAN. – Il ne faut pas parler ! Il y a, je crois, des choses... qu'on ne dit pas.

ZELNER. – Tu dis que c'est ton mari et que tu l'aimes ! Et tu dis que tu te moqueras bien de la grammaire, à présent. Aussi je dis, moi, que la régularité de notre vie...

MINA. – Pardon, pardon ! Oh, je m'excuse pour tout le monde.

PAPA. – Allons dîner. Papa est revenu. Je veux tous vous voir, grâce à moi, vous amuser et vous empiffrer jusqu'à ce que la nourriture vous ressorte par les yeux.

IV

Papa. – Je suis épuisé.
Laisse-moi m'allonger avant de m'interroger.

Anna. – Était-il bien nécessaire de passer la nuit là-bas ?

Papa. – Impossible de faire autrement.
Je suis épuisé.
Je suis rentré à pied de l'hôtel jusqu'ici – de Paris jusqu'à Courbevoie à pied ! Les chaussures de ton frère me font mal. Je ne comprends pas qu'il les prenne aussi serrées du bout.

Anna. – Il vient de téléphoner pour que tu lui rapportes le costume et les souliers dans la matinée. Il a insisté : Dis bien à Aimé que je veux tout avant midi.

Papa. – Il a besoin du costume aujourd'hui, épatant. Je dois revoir ma femme ce soir. Que va-t-elle penser si je me présente à elle sapé comme un miteux ?
Rappelle ton frère. Demande-lui de patienter jusqu'à demain.

Anna. – Si on le contrarie sur ce genre de détails, il se mettra en rogne et ne voudra plus entendre parler de rien. Non, non, tu le remercieras chaleureusement, tu te feras humble et reconnaissant. C'est lui, pas elle, qui nous trouvera une place pour Bébé. Tu m'entends bien ?

PAPA. – Alors, Bébé ?

ANNA. – Il dort.

Il s'est excité toute une partie de la nuit. Les voisins ont fini par cogner à la porte. Que veulent-ils que je fasse ? Que je l'assomme ? Que je l'étouffe ?

PAPA. – Ton frère s'occupe de nous, pas vrai ?

Il doit s'être mis en rapport avec cette institution, et maintenant il manœuvre pour faire passer Bébé en premier. Tout va bien. Tout va, parfois, remarquablement bien.

ANNA. – Bébé est lourd, Bébé est fort.

Ces enfants-là sont ainsi. Mon frère me l'a dit.

De plus en plus lourds, de plus en plus forts.

PAPA. – Dans une heure je suis chez ton frère, modeste, plein de gratitude. Je remercierai, je m'excuserai. Mais ma femme est belle, blonde et bien habillée. Je le savais. Je l'avais aperçue plusieurs fois dans la rue. Quant aux deux filles, je les ai reconnues pour les avoir vues sans le savoir, à droite ou à gauche, dans les rues de Courbevoie depuis dix ans. Ma femme est mince, les filles sont grasses. Elles ne me plaisent pas du tout. Quel épuisement ! Elles ont la peau trop claire et cela m'indigne, cela me fait ricaner de mépris. Mais ma femme, elle, est si jolie...

ANNA. – Occupons-nous d'abord de Bébé.

PAPA. – Oui, Papa est revenu – cependant je n'aime pas mentir aux enfants.
Ces filles-là sont les miennes, même si j'ai toujours eu l'habitude de faire peu de cas des filles. Je devrais faire quelque chose pour elles – ah, Papa est revenu.
Il me déplaît de mentir aux enfants.

ANNA. – Bébé est comme il est, mais si tu pouvais l'aimer, veiller sur lui.

PAPA. – Je file chez ton frère. Il faut qu'il nous délivre de Bébé ou nous n'arriverons jamais à rien. C'est Bébé qui nous tient prisonniers de Courbevoie, pieds et poings liés dans ce coin désolant.

Mais les choses vont changer. Je vois ma femme demain, toujours à l'hôtel Nikko. Elle me fera un chèque. Elle s'y est engagée tout à l'heure.

Dis-moi que tu es contente et pleine d'espoir, comme je le suis !

Elle va me prêter dix mille francs et sans se douter de rien, sans le moindre soupçon.

Ma conscience est pure. Ma femme s'en tire bien. Elle est coiffeuse. Les deux filles ne manquent de rien. La honte n'est pas pour moi, non, pas de mon côté bien certainement.

ANNA. – Que s'est-il passé à l'hôtel Nikko ?

PAPA. – Zelner, le petit prof qui fréquente ma femme et qui ne veut rien devoir qu'à lui-même dans la vie, nous a conduits là-bas dans sa vieille Simca aussi crasseuse que lui.

Oh, je déteste ces vertueux !

Il est négligé et d'une tolérance infecte. Car il nous a conduits au restaurant et, pour m'amadouer et plaire à ma femme, il voulait mon avis, l'imbécile, sur l'Afrique et l'Afrique et l'Afrique. Patati et patata. Il a même tenté des plaisanteries, de tristes petites blagues de salle des professeurs.

Je choisis une grande table bien située, je conduis tout mon petit monde au buffet, Zelner se sert une platée d'éléphant, puis revient prendre la même chose, et que je t'avale des bières l'une sur l'autre.

J'ai dépensé, oui... Tout ce qui nous restait y est passé.

Ma femme si belle est consternée de se rendre compte qu'elle n'arrive pas à m'en vouloir.

Voilà ce qui cloche pour elle et qui est la clé de tout. Elle m'aime et n'a pas de rancune. Papa est revenu – elle l'aime ! Le sentiment de l'offense lui est étranger.

L'une des filles, celle qu'on appelle Ami je crois, ne s'est pas laissée acheter malgré les tentatives de sa mère en ce sens. Papa est revenu – ah, oui, la fille devait se vendre à la joie ambiante. Mais non, rien à faire.

Et ton frère veut son costume ce matin, le saligaud. Bon. A qui s'adresse-t-il ? A un pouilleux, à un mendiant ?

Honte à lui. Qu'il en crève.

ANNA. – Vas-y ce matin, je t'en conjure.

PAPA. – N'aie crainte, il aura ses affaires en temps voulu.

Bébé nous tient captifs. Il nous faut une place pour lui, où que ce soit.

Mais je n'ai plus peur de le dire : Anna, maudit soit Bébé. Oui. Maudit soit-il.

Tu m'entends ? Maudit. Vingt fois maudit.

Il est mon châtiment mais je n'ai pas à être puni.

Il est ma honte quotidienne et sa laideur nous diminue tous les deux – mais pourquoi serais-je condamné à subir la honte toute ma vie, chaque jour de ma vie ?

Il faut que Bébé disparaisse dans le premier établissement venu et que j'oublie Bébé pour devenir l'homme que je dois être. Je suis brillant. Je dois être enfin victorieux.

Regarde-moi. Regarde mon visage. Vois comme je resplendis.

Hier ma femme m'a vu tel que je suis. Elle est sans force devant moi et incapable de rien me reprocher.

Après le dîner elle a demandé à l'autre de ramener les filles, prétendant qu'elle devait me parler, et il m'a fallu prendre une chambre. Je sais que j'ai dépensé beaucoup plus que prévu. Mais comment faire autrement ? Cet argent, ma femme va nous le rendre au centuple.

Elle m'aime. Il me semble que c'est mal de sa part, que c'est une faiblesse coupable et même un peu écœurante.

Mais c'est ainsi.

Je la vois demain. Je prends ce qu'elle me donne et c'est fini. Ou bien je lui demande davantage et elle s'arrange pour taper Zelner.

Qu'en penses-tu ?

ANNA. – Tout cela me gêne, maintenant.

PAPA. – Mais tu étais d'accord. Tu ne vas pas trembler au dernier moment.

C'est notre seule chance. Avec cet argent je me lance enfin dans une affaire sérieuse.

J'achète la marchandise – j'ai des amis qui sont prêts à me faire des prix pour me mettre le pied à l'étrier. Puis je la revends là-bas, comme je te l'avais expliqué. Des fortunes se sont bâties de cette façon. Il suffit d'avoir des fonds, pour débuter, faire son stock.

Ton frère est un crétin, qui n'a pas

compris qu'en me prêtant une bagatelle il la regagnerait multipliée par mille.

Bon. Il a sa petite situation et ne veut rien risquer, ce médiocre. Et Bébé le répugne, mais ton frère aime Bébé car Bébé le conforte dans son idée que toute alliance avec une saleté de Noir ne peut qu'aboutir au désastre, à cet innocent et indéniable désastre qu'est notre garçon.

Ne pleurniche pas. Je t'en prie, pas de larmes.

Ces larmes bêtes, ces sentiments mous !

Comme je suis fatigué !

Mais il n'est plus temps de gémir – est-ce que je sanglote ?

Rien ne peut plus blesser Papa.

Est-ce que je me frappe la poitrine parce que je ne peux prétendre à rien d'autre, ici, qu'à balayer les caniveaux ?

La couleur radicale de ma peau implique que je ne sois bon que pour les courbettes.

C'est ainsi. Est-ce que je hurle ?

Aussi, pourquoi ne veux-tu pas que ma femme nous aide ?

Oh, ne pleure pas, surtout ne pleure pas.

Je ne peux pas aimer Bébé. Non, un enfant pareil, rien ne me fera l'aimer, jamais, jamais.

Mais tu l'aimes, toi, et c'est assez pour lui.
On va le placer. Alors ? Et si ma femme a les moyens de nous porter secours, où est le mal, où est l'injure ?
Puisque c'est de nous sauver qu'il s'agit.

ANNA. – Tu es terrifié.
Rien que de penser à ce que tu devras faire de l'argent, ton front se couvre de sueur.
Tu ne feras rien de ce que tu dis. Rien avec l'argent.
On vivra avec pendant quelques semaines, puis tout sera à recommencer.

PAPA. – Et si je te jurais que je n'ai plus peur ? Que je transpire parce que j'ai chaud et que je suis exténué, me croirais-tu ?
Laisse-moi m'étendre.

ANNA. – As-tu couché avec ta femme, à l'hôtel Nikko ?

PAPA. – Maintenant, Anna, Papa est las, harrassé.

ANNA. – Elle t'a promis de l'argent.
De quoi voudrait-elle te payer si tu n'as pas même caressé ses cheveux ?

PAPA. – Dans trois mois je serai riche. Plus rien ne peut arrêter Papa.

ANNA. – Tu auras embrassé ses paupières, passé une mèche de cheveux derrière son oreille.

PAPA. – Nous tâcherons d'oublier cette sale vie de Courbevoie.

Courbevoie m'a perdu, corrompu.

ANNA. – Cependant pas une seule fois, en dix ans, malgré certaines occasions, tu n'as eu la force d'affronter le moment où il faut se lancer, prendre la décision de commencer, quelque entreprise que ce soit.

Toujours la peur t'a réduit, acculé au renoncement ou à la fuite.

Tu as su abandonner ta femme, tes enfants, oui, tu as su le faire.

Mais, à présent, cours chez mon frère.

Remercie-le, excuse-toi, sois plus bas que terre, sois humble et bien laid.

Qu'il te prenne en pitié, il nous aidera.

Il sait que la vie, à Courbevoie, est difficile, difficile.

Mais, mon pauvre Bébé, non, ce n'est plus suffisant pour lui que je l'aime, moi seule, car de plus en plus je suis faible et dégoûtée, de plus en plus il m'est pénible de devoir prendre sur mon seul dos l'amour qu'il mérite et réclame.

PAPA. – Les deux filles, là-bas, je ne les aime pas davantage. more
Où est l'injustice ?

V

GRAND-MÈRE. – Nous devons te parler, ma fille.

GRAND-PÈRE. – Nous devons te parler sérieusement.

MAMAN. – Entrez donc.

GRAND-MÈRE. – Tante José et Tante Clémence sont avec nous.
Il faut qu'elles entrent aussi.

MAMAN. – Bien sûr. Que tout le monde entre. Je ne les avais pas vues. Le palier est si sombre. Cet immeuble est en mauvais état. Entrez, entrez.

GRAND-PÈRE. – On chante chez toi, dirait-on.

GRAND-MÈRE. – Qu'est-ce que c'est que cette musique ?
Entrons-nous tout de même ?

MAMAN. – N'ayez pas peur.
Ce sont des étrangers, de très braves et très malheureux étrangers qui chantent à merveille.
Je leur prête mon salon afin qu'ils puissent s'exercer.
Et puis, flûte, que voulez-vous savoir encore ?
Mais entrez, je vous dis.
Ce sont des êtres charmants, de charmants étrangers qu'on tourmente chez eux.

TANTE JOSÉ. – Et ils viennent te casser les oreilles, chaque après-midi, dans ton salon ?

TANTE CLÉMENCE. – Pourquoi chantent-ils aussi fort ?

GRAND-MÈRE. – Entrons, car nous devons parler à notre fille de toute urgence.

MAMAN. – Mes amis ne comprennent pas le français. Vous pouvez y aller.

Mais ils vont continuer de chanter. Aussi ne craignez pas d'élever la voix.

Pourquoi cette visite, mes tantes ?

GRAND-PÈRE. – Tes étrangers nous regardent férocement.

GRAND-MÈRE. – Les tantes sont venues nous prêter main-forte, ma fille.

TANTE CLÉMENCE. – C'est cela. Prêter main-forte à tes pauvres parents.

MAMAN. – Ils chantent, ce sont des dieux.

Votre présence les perturbe, voilà pourquoi ils n'ont pas l'air amicaux.

Ils sont célestes et ce sont mes seuls amis.

GRAND-PÈRE. – Oui, tu as toujours aimé les étrangers simplement pour cette raison qu'ils sont étrangers.

GRAND-MÈRE. – Sans ce goût particulier que tu as, ma fille, ta vie aurait été bien plus heureuse.

MAMAN. – Vous êtes venus tous les quatre, en délégation, faire mon procès ?

TANTE JOSÉ. – Nous avons pris le train ce matin, à l'aube.

Il ne faisait pas chaud, tu sais, sur le quai.
Et nous avons payé les billets. Ah, trois cents francs, mais la raison est grave.

Grand-Mère. – Il faut reprendre tes esprits, ma petite fille.
Ainsi, il est revenu. Comment est-il ?

Grand-Père. – Ton mari.

Maman. – Qui peut savoir ?

Grand-Mère. – Zelner nous a téléphoné et nous a tout raconté.
Il est accablé. Quelle sottise. Quelle exaspérante sottise.
Ces Zelner, ma petite : une famille de si bonne bourgeoisie.
Est-ce que ton mari est toujours noir comme le diable ?
Zelner, ton bienfaiteur, t'a prise sous son aile si comme il faut.
Tu gâcherais tout cela ? Pour ce nègre ?

Tante Clémence. – Il t'a bafouée, il t'a menti.

Maman. – Oui, oui. Je n'ai pas la moindre confiance en lui.
Comme j'ai souffert, vous vous rappelez ?

Grand-Père. – Tu n'avais même pas fini ton apprentissage.

Maman. – Oui, tout cela est parfaitement vrai. Et tout ce que vous pourrez dire de pire à son propos sera toujours parfaitement vrai.

La raison et le bon sens sont dans votre camp, c'est indéniable.

Vous rappelez-vous comme j'ai souffert, il y a dix ans, lorsqu'il a disparu ?

Une telle souffrance, je ne l'avais jamais crue possible.

Grand-Mère. – Cette vilaine histoire nous a tous mis dans une situation très embarrassante.

Grand-Père. – Notre propre fille, abandonnée par ce nègre.

Tante José. – Et ces deux enfants qu'il a tout de même trouvé le temps de te faire.

Maman. – Chantez, mes amis, chantez plus haut !

Tante Clémence. – D'une manière générale, nous n'avons aucun problème avec les étrangers. Ce sont des créatures également divines. Nous les respectons.

GRAND-PÈRE. – Hein, la vieille, pas de problème de ce côté-là.

GRAND-MÈRE. – Mais ton mari, ma petite fille, nous a toujours révoltés. Il n'existe rien au monde qui soit aussi noir que sa peau. De ce seul fait, nous n'avons jamais su comment nous adresser à lui.

Tu t'en souviens ?

Nous le regardions et ce visage inhumain nous rentrait les mots dans la gorge. Il était comme une bête pour nous, mais une bête d'une espèce inconnue et répugnante.

Et le voilà qui revient, et voilà que tu veux retourner à lui.

Quelle horreur, ma fille.

Qu'est-ce qui te tient donc ?

Quelle horreur que cet homme.

MAMAN. – Le père de mes enfants est beau et intelligent, c'est incontestable.

GRAND-MÈRE. – Tu l'as toujours prétendu mais comment voudrais-tu nous en convaincre ?

Nous n'avons vu, nous, que les ténèbres effroyables de sa peau.

Nous n'avons jamais su que lui dire.

Et maintenant, maintenant, tu lâcherais

le brave Zelner tout enluminé de sa profonde honnêteté, pour ce puits de mensonges, de mystères sinistres.

Nous ne te laisserons pas faire, ma petite fille.

Les tantes sont d'accord avec nous.

TANTE CLÉMENCE. – La famille doit s'unir pour t'empêcher de reprendre ton mari.

TANTE JOSÉ. – Qu'il retourne d'où il vient.

Et d'où vient-il ?

MAMAN. – Il voyage à travers le monde. C'est à présent un homme d'affaires.

Mais je ne crois pas un mot de ce qu'il me dit.

Dehors, les tantes. Décampez !

GRAND-PÈRE. – Nous voulons ta promesse que tu ne commettras pas cet acte insensé.

MAMAN. – Mes amis sont troublés. Ils chantent platement, et bas.

Ils comprennent que vous me faites le plus grand tort.

Et si je l'aimais, mon mari, qui m'interdirait de le garder maintenant ?

Grand-Mère. – Elle l'aime !

Tante José. – Mon dieu, elle l'aime, ce vilain nègre !

Maman. – Ce que j'ai souffert par lui m'a liée à lui pour toujours.
Mes tantes, je vous salue bien.

Grand-Mère. – Les tantes comptaient un peu que tu les coifferais. Leur permanente.

Tante Clémence. – Tu serais patronne aujourd'hui si ce Noir ne t'avait pas traitée comme il l'a fait.

Grand-Père. – Il ne te manquait qu'une année d'apprentissage.

Maman. – J'aurais aimé être patronne, oui. J'aurais aimé choisir la décoration de mon salon et inscrire mon prénom sur l'enseigne. Oui.
Personne ne m'a aidée, alors.
Ma solitude a été absolue.

Grand-Mère. – Nous avions nos soucis.

Tante José. – Le coupable est celui qui a plié bagages, pas ceux qui ont hésité à te tendre la main.

MAMAN. – Si mes parents ou mes tantes m'avaient prêté un peu d'argent, je me serais débrouillée pour finir ma coiffure.

GRAND-MÈRE. – L'argent !

GRAND-PÈRE. – Est-ce qu'on avait de l'argent, nous ?

MAMAN. – Vous ne vouliez pas me garder les enfants, de peur que les voisins ne remarquent qu'elles n'étaient pas tout à fait blanches.

TANTE CLÉMENCE. – Tes filles ont le teint assez clair, c'est une chance pour elles.
Je le dis d'une manière générale, sans te donner mon opinion.
Car la vie est dure.

TANTE JOSÉ. – Pourquoi l'argent, toujours l'argent ?

MAMAN. – La question de l'argent est au cœur de ma vie, exactement de même importance que mon amour déraisonnable.
Je me suis abaissée, mais comment l'éviter ?
Installez-vous, les tantes. Vous avez besoin d'une teinture également.

Grand-Père. – Si elle nous parle d'amour, nous ne pouvons rien. Elle nous tient, avec ce mot.

Tante José. – Tâche de nous rendre un peu plus blondes que la dernière fois, s'il te plaît.

Maman. – C'est hasardeux quand on a le poil aussi noir.
Votre démarche est inutile. Je pars demain, avec Mina et Ami, rejoindre leur père. Et puisque cela vous fait du mal de tout savoir et que vous aimez endurer de cette façon, je ne vous cacherai rien : je l'ai revu hier soir pour lui donner de l'argent.

Grand-Père. – Mais tu nous disais qu'il avait réussi.
Zelner lui-même a reconnu que la réussite de ce propre à rien était spectaculaire.

Maman. – Qu'est-ce qu'il en a vu ? Un costume, des pâtes de fruits, une choucroute à l'hôtel Nikko.
Je vous ai dit que je ne croyais pas un mot de ce que racontait mon mari.
Il m'a demandé de l'argent. Je lui ai donné tout l'argent que j'avais.

GRAND-MÈRE. – Mais pourquoi ?

MAMAN. – Demain nous serons réunis, tous les quatre.

GRAND-PÈRE. – Tu as payé ce nègre pour qu'il ait la chance d'être repris par toi envers qui il a tous les torts. C'est une aberration.

GRAND-MÈRE. – Quel avilissement, ma fille.

MAMAN. – Oui, je vous l'ai dit.
D'ailleurs, je ne lui pardonnerai jamais – et après ?

TANTE CLÉMENCE. – Aïe !

MAMAN. – C'est du crin que vous avez sur la tête, mes tantes. Il va vous falloir souffrir pour devenir parfaitement blondes.
Vous rappelez-vous comme j'ai souffert, il y a dix ans ?

GRAND-PÈRE. – Qu'il crève, qu'il crève, cet homme effroyable.

GRAND-MÈRE. – Vois comme je tremble, maintenant, ma fille.
Touche, touche mon bras : j'en ai la chair de poule.

Tu es perdue pour nous. Quelle horreur que ce genre de liens !

Et qu'est-ce que cela signifie ? Que tu as couché avec lui, hier ?

Tu es peut-être de ces femmes qui n'aiment embrasser que ces peaux-là.

Je préfèrerais mourir.

Maman. – N'est-il pas mon mari ?

Grand-Mère. – Et cette odeur, cette odeur qu'il avait, cette odeur qu'ils ont tous. Tiens, je la sens sur toi. Tu en es tout imprégnée.

Reculez, les tantes ! Ne la laissez pas vous toucher.

C'est répugnant. Cette femme est répugnante, elle est ma fille.

Allons-nous-en !

Maman. – Mais l'amour est vénérable. Le mariage est vénérable.

Écoutez ce dernier chant de mes amis !

Tante José. – Nulle part on ne vous coiffe plus pour moins de deux cents francs.

Tante Clémence. – Veux-tu bien continuer, ma nièce ? Tu nous fais faire une belle économie.

MAMAN. – Et si, en plus, je l'aimais, ce mari que j'ai, qui m'en blâmerait ?

VI

PAPA. – C'est Papa, moi, ton père.

C'est pour toi seule que je viens aujourd'hui. Ne leur dis rien.

Voilà pour toi, prends, voilà des pâtes de fruits de très grand luxe.

Ne leur dis jamais que je suis venu.

MINA. – C'est le même paquet que l'autre jour. Il avait disparu, intact, et il se retrouve en ta possession et tu me l'offres maintenant comme si tu ne l'avais pas déjà fait et comme s'il était nécessaire que tu sois celui dont les mains débordent de pâtes de fruits à chaque fois qu'il revient.

PAPA. – Je venais pour que tu m'aimes, toi, tout particulièrement.

Je venais aussi pour que tu m'aides, et que tu ne leur dises rien.

MINA. – Je le ferai bien sans cadeau, pour mon père.

Papa. – C'est Papa, c'est moi !

Mina. – Crois-tu qu'il y ait quoi que ce soit que je ne ferai pas ?

Papa. – Il faut que tu m'aides.
Je suis fatigué. Je ne sais plus comment m'en sortir.
Même à toi, je sens maintenant que je ne peux pas avouer ce qu'il est impossible que je n'avoue pas si je veux que tu m'aides !

Mina. – Oui. Nous sommes toutes fières de toi.

Papa. – Enfant, comment faire ?
Comment puis-je faire ? Aide-moi.

Mina. – Il me suffit que tu sois vivant et que tu sois mon père.
Tout ce chemin...
Je suis si fière que j'en ai parfois des éblouissements.

Papa. – Tu seras capable, plus tard, de me porter à bout de bras. Je n'aurais qu'à m'en remettre à la force de ma fille. Tes coudes sont puissants, tes articulations solides, un peu épaisses.
Mais, maintenant, que dois-je faire ?
Enfant, comment puis-je faire ?

MINA. – Ouh, je n'écoute plus mon père !

Je me bouche les oreilles – parle, parle autant que tu veux, je n'entends rien.

Nous sommes toutes tellement fières et heureuses.

PAPA. – Comment se fait-il que j'en sois réduit à demander secours à toutes sortes de femmes qui, chacune à sa manière, ne peut rien pour moi, quoiqu'elle ne le sache pas ? Aucune de vous ne peut imaginer que j'ai besoin, ni plus ni moins, qu'on me sauve la vie, et c'est de ma faute mais pas de ma faute absolument.

Oh, oui, enfant, il est dégradant pour moi de devoir toujours rechercher l'appui et la protection involontaires de femmes trop faciles à duper.

MINA. – Parle donc. Je ne veux pas t'entendre.

Je te regarde et je t'admire.

PAPA. – C'est pour me venger de la France que je suis venu, ma fille, en France, il y a dix ou quinze ans de cela.

Je suis venu dans la colère, la frustration, le sentiment de faiblesse et de servitude, en me disant : De toute cette fureur contenue, de cette amertume et de cette sorte de honte indéfinissable, je vais me faire payer. La France entière va payer – je lui ferai rendre gorge. Voilà ce que pensait le jeune homme vindicatif, aigre, rancunier.

Mais je suis arrivé et j'ai oublié la nécessité et la raison de ma vengeance. Il y avait cette pauvre petite femme adorable, éperdue – Maman. Me venger sur elle ? Je ne savais plus, je ne savais plus.

Mon ressentiment est devenu confus, sans objet.

Aide-moi, mon enfant.

Je ne désire pas être si mauvais que je vais l'être.

Comment est-ce possible ? J'envisage ce que je vais faire et j'en suis désemparé.

MINA. – Suis-je la préférée de mon père ?

J'ôte les mains de mes oreilles si tu me dis que je suis, moi, Mina, l'unique enfant aimée entre tous !

PAPA. – Je vous ai laissées, croyant que la vie de famille, discrète, laborieuse, toute en obéissance et renoncements quotidiens pour, petitement et sagement, progresser, – pensant que cette vie-là m'étouffait et ne me vengeait en rien mais, au contraire, se vengeait de moi, sur mon dos.

J'ai laissé Maman avec satisfaction et le sentiment de la justice enfin rendue, sévère, implacable.

Et, presque aussitôt, je cherche les jupes d'une autre femme pour m'y abriter, mécontent pourtant et bien forcé de me dire : Cet homme-là, incapable de solitude glorieuse, c'est moi !

VII

ZELNER. – Puis-je entrer ?

ANNA. – Chut, mon garçon s'est endormi.

ZELNER. – Zelner, professeur de lettres au grand lycée de Courbevoie.

Où est-elle ? Où sont-ils partis ?

Tout n'est que mensonges et affabulations.

Depuis dix ans il vit là, au bord de la nationale, dans cet immeuble promis à la démolition.

Il n'a jamais quitté Courbevoie, n'est-ce pas ?

Où est-il ?

Le voudrais-je de toutes mes forces, je ne pourrais jamais mentir ainsi.

Je n'ai pas ce talent !

Ayez un peu pitié de moi.

ANNA. – Voilà trois jours qu'il n'est pas rentré.

ZELNER. – J'ai mené ma petite enquête, je connais tout de cet homme.

Je suis plein de lui. Je suis envahi par lui. La couleur de sa peau m'a abusé.

Je croyais n'avoir pas le droit de le haïr. Toute haine à son encontre, me disais-je, est politiquement condamnable.

C'est un homme intéressant, me disais-je, et digne de ma compassion.

Il s'est mal comporté, soit. Mais un Noir, me disais-je, n'est pas responsable de ses actes car un Noir est avant tout, et essentiellement, une victime.

Il n'y a pas de Noir, me disais-je, qui soit coupable sur notre sol. Il n'y a pas d'homme noir. Il n'y a qu'une plaie, me disais-je. Qu'un chant triste, qu'un asservissement honteux.

En tant qu'être, ce Noir n'existe pas, pensais-je. Ce Noir ne peut avoir ni caractère ni personnalité.

Comment, alors, lui demander des comptes ? Comment aurait-il un sens moral ?

Tout est de notre faute, pensais-je.

Et c'est bien sans doute aussi, me disais-je, de sa faute à elle s'il l'a abandonnée.

Ce Noir est au-delà ou en-deçà de toute faute. Ce Noir n'est qu'un symbole, me disais-je.

Ce Noir est notre esclave, il est juste et bon qu'il nous échappe.

Qu'il nous piétine, qu'il nous assassine, me disais-je. Ce sera encore juste et bon. Il n'est rien qu'il puisse nous faire que nous n'aurions amplement mérité.

Voyez, tout cela : mes pensées à son propos, d'où ma bienveillance.

Son allure, son aspect, m'écrasaient.

Mais voilà qu'elle est partie, emmenant les enfants ! N'avez-vous pas la moindre idée ?

ANNA. – Parlez moins fort, je vous prie.

ZELNER. – Je dois lui dire qu'il est à présent pour moi un personnage véritable et accompli, je dois lui dire que je le hais et le méprise au plus haut point.

Il me faut le retrouver pour le lui dire.

Et si j'osais, je lui balancerais mon poing dans la figure.

Mais peut-on frapper un Noir ? Je n'en suis pas encore sûr.

Je cognerais mollement, par gêne, et lui aurait tout loisir de m'assommer ensuite.

Oh, je voudrais être lui, ce sale type.

Dans mon désarroi j'ai appelé ses parents à elle pour me plaindre et cracher sur ce nègre, vanter ma vertu, évoquer la parfaite correction de ma propre famille, enfin leur faire comprendre tout ce qu'elle perd, elle, en promesses d'aisance et d'élevation sociale, puisque c'est ce à quoi ils sont le plus sensibles.

Je leur ai dit que notre vie sexuelle était mesurée et méthodique.

Je leur ai dit que notre vie sexuelle...

Voilà jusqu'où je suis allé, par détresse.

Cela ne me grandit pas, cela n'a servi à rien.

Où sont-elles parties, toutes les trois ? Cet homme a droit à ma haine absolue.

Et, ces cris, qu'est-ce que c'est encore ?

ANNA. – C'est mon fils.

Son père l'a maudit. Qu'il aille au diable.

ZELNER. – Cet endroit est le plus lugubre que je connaisse. On entend la route comme si elle passait dans votre salon.

ANNA. – D'avoir maudit Bébé, je ne le lui pardonnerai jamais.

ZELNER. – Ce salaud de Noir, ont dit les parents.

J'ai raccroché et je me suis félicité de n'être pas noir.

Et maintenant je voudrais être lui.

ANNA. – Qu'il aille au diable, avec sa femme.

ZELNER. – Tant de détestation me consume. Je ne suis pas fait pour les sentiments excessifs.

Ce que j'aime : un bon fauteuil, mon journal, un petit joint.

ANNA. – Qu'il aille au diable.

ZELNER. – Ainsi donc il vous fait vivre ici, dans ce trou à rats.

Ainsi donc il n'a pas un sou.

ANNA. – Il ne possède même pas le costume qu'il a sur le dos.

ZELNER. – Je donnerais ma maison pour être lui.

Mais en quoi m'est-il supérieur, pouvez-vous me le dire ?

Ah, si vous pouviez faire cesser les cris de cet enfant !

ANNA. – Il y a longtemps que Bébé ne m'écoute plus. Il est...

ZELNER. – Réfléchissons ensemble au moyen de retrouver, vous cet homme, moi ma femme et les enfants.

ANNA. – Je vous ai dit que, pour ma part, il pouvait aller au diable.

Il m'a suffi qu'il maudisse Bébé une fois, une seule, pour me sentir délivrée de lui.

Quand il n'est pas là, devant moi, il me semble qu'il n'est rien – ou c'est le contraire parfois, et sa présence est décevante. Il n'est jamais ce qu'on a pensé qu'il était, ce qui fait, voyez-vous, qu'il n'est jamais véritablement là.

Que sa malédiction retombe sur sa tête, c'est tout ce que je désire.

VIII

Tante José. – Qu'est-ce qu'il t'arrive, ma grosse ? Tu es toute essouflée.

Tante Clémence. – Je viens tout droit de chez les vieux.

Leur fille est là, chez eux, avec ses deux oies.

Tu ne devineras jamais.

Tante José. – Ah, ah.

Tante Clémence. – Elle lui a crevé la gueule. Au couteau. Elle l'a raté.

Cette fille fait tout n'importe comment. Même notre couleur, elle l'a mal faite, ça ne tient pas. Et comme quoi c'est son métier et sa vocation et turlututu.

Le nègre n'aurait pas grand-chose.

Mais il est presque défiguré, dit-elle.

Elle lui a donné plusieurs coups de couteau, elle a voulu le tuer, José.

Les vieux sont effondrés. Que vont-ils faire d'une fille pareille, hein ?

Il n'y a plus qu'à la mettre dehors.

Et les gamines avec, méchantes graines.

Mon dieu, les pauvres vieux, que vont-ils faire d'elle ?

TANTE JOSÉ. – Et le nègre ?

TANTE CLÉMENCE. – Il serait allé se faire recoudre.

Il devait saigner comme un porc. S'il avait pu se vider, mais non.

Je leur ai dit, aux vieux, c'est de votre faute car votre fille aime trop la télé et les romans, alors elle a cru qu'en attrapant un couteau de cuisine et en visant le cœur du nègre elle lui ferait son compte, comme dans les séries, comme dans les histoires.

Elle a cru que ce n'était qu'une affaire de volonté, de tuer ce nègre, et pas de force, mais c'est ça qui lui a manqué, la corpulence.

Ils ne montrent jamais ça, à la télé, qu'il faut une sacrée poigne pour bousiller quelqu'un.

TANTE JOSÉ. – Les nègres ont la peau plus dure.

Tu dis qu'elle l'a défiguré ?

TANTE CLÉMENCE. – Elle lui a crevé une joue, amoché un œil, déchiré la lèvre.

Cette sale petite gueule qu'il avait.

Il peut toujours se contempler dans la glace, maintenant.

TANTE JOSÉ. – Tiens, tu pleures ?

TANTE CLÉMENCE. – Sa belle petite bobine. Il ne doit plus rien en rester, à l'heure qu'il est.

Mais cette idiote l'a laissé courir.

TANTE JOSÉ. – Tu prétendais que le nègre te dégoûtait, que la seule pensée du nègre t'était odieuse.

Il y a dix ans, quand elle l'a épousé et que tu l'as vu pour la première fois, tu as vomi devant moi.

Et voilà que tu pleures.

TANTE CLÉMENCE. – C'est que je plains les vieux. Ils n'ont pas mérité de se retrouver dans une telle situation, avec cette fille sur les bras.

Je les plains, c'est pourquoi je pleure.

TANTE JOSÉ. – Tu as vomi et puis tu es rentrée à la maison et tu n'as pas assisté à la fin du mariage.

Tu n'es venue ni au vin d'honneur ni au repas tant la vue du nègre au milieu de nous tous te faisait peur, le nègre l'embrassant, elle, notre petite nièce toute mignonne, toute menue et blondinette.

Tu le trouvais repoussant, indécent.

Aussi tu t'es couchée pour ne pas en voir davantage.

Et voilà que tu pleures !

TANTE CLÉMENCE. – Elle dit à ses pauvres parents qu'elle ne regrette rien mais qu'elle est soulagée de ne pas l'avoir tué. L'indécision de cette fille !

TANTE JOSÉ. – Tu étais obsédée par cette question : est-ce que notre petite nièce est vierge ? Ou ont-ils déjà couché ensemble, le nègre et elle ?

TANTE CLÉMENCE. – Je m'en fous, tu sais.

TANTE JOSÉ. – L'idée t'était insupportable d'être vierge, toi, et que peut-être elle ne l'était plus, par ce nègre.

Et tout le monde qui se posait la même question.

Il n'y a rien eu d'autre pendant ce mariage, ni gaieté ni félicitations, rien que la gêne et cette question : Est-ce qu'il l'a déjà touchée ? Et comment peut-on se représenter et tolérer une saloperie pareille, mais nous étions là, tous, un peu habillés mais pas trop pour ne pas l'honorer, lui, nous nous efforcions de sourire et de nous croire à la fête tandis que cette pensée monstrueuse déformait nos traits et nous donnait l'air abrutis et féroces, mais impuissants, parfaitement impuissants.

Que lui a-t-il fait ?

Comment le fait-il avec elle, notre gracile petite nièce ?

Nous étions désespérés de ne pouvoir que l'imaginer, et il était insupportable de l'imaginer. Nous aurions voulu voir et ne jamais voir, savoir et ne rien savoir du tout et qu'il n'y ait rien à savoir.

Ce nègre nous obsédait. Il semblait satisfait, un peu distant. Pas de respect particulier pour nous. Ni humble ni rien, parlant peu, poli, s'exprimant mieux que nous.

Et toi tu es rentrée te jeter sur ton lit. Cette même pensée que nous avions tous t'avait rompue, anéantie.

Tu en crevais de ne pas savoir. Tu ne pensais qu'à lui. Tu la détestais plus que lui.

Comme tu as été heureuse lorsqu'il a disparu. Et les vieux aussi, oui, bien contents que leur fille soit punie. Ils pouvaient de nouveau l'approcher et feindre de la plaindre. Ils jubilaient, les vieux, de se donner l'illusion qu'elle était nette de nouveau.

Pourquoi pleures-tu ?
Puisqu'elle l'a démoli et qu'il a filé, pourquoi pleurer ?
Tout est bien, à présent.

TANTE CLÉMENCE. – Oui, tout est bien. Si elle avait pu le laisser sur le carreau, une bonne fois pour toutes.

TANTE JOSÉ. – Qu'est-ce qu'elle voulait, cette bécasse ?

TANTE CLÉMENCE. – Elle prétend qu'il s'était engagé à les emmener toutes les trois si elle apportait une certaine somme d'argent dont il avait encore besoin, et qu'elles l'ont rejoint dans les conditions qu'il demandait, mais qu'il a nié, alors, avoir promis quoi que ce soit. Ils étaient dans un hôtel, le Nikko, paraît-il. Elle avait le couteau dans ses bagages. Elle n'a jamais cru un mot de ce qu'il disait, elle dit que c'est la raison pour laquelle elle avait pris ce couteau.

Un couteau. Les vieux n'en croient pas leurs oreilles. Ils se croient au cinéma. Leur fille armée d'un couteau et se jetant sur son mari, devant les gamines, et le sang partout et tout le monde hurlant sauf lui – le nègre, paraît-il, n'a pas eu un cri –, alors elle, comprenant qu'elle n'en viendrait pas à bout et se sauvant avec ses filles, fuyant cette chambre de l'hôtel Nikko avec les deux filles paralysées de terreur, le laissant là, lui, le laissant se remettre comme il pouvait pour aller faire recoudre sa figure en morceaux, sa damnée figure de nègre content de lui...

Où peut-il être, à présent ?

Je me le demande.

Crois-tu que quelqu'un prend soin de lui ?

TANTE JOSÉ. – Tu as tes philtres et tes formules. Tu as tout ce qu'il te faut.

TANTE CLÉMENCE. – Cela n'a jamais rien donné ni pour lui ni contre lui.

Non, aucun charme n'a jamais agi avec ce Noir.

Que faire, José ?

Les vieux se croient au cinéma : ils jouent avec hésitation, en tâtonnant.

TANTE JOSÉ. – Tu t'es couchée et puis tu t'es relevée pour essayer de faire cesser sur-le-champ ce mariage malpropre, et tu as préparé une boisson de ta composition et tu m'as chargée de la leur apporter au vin d'honneur, et ils l'ont bue tous les deux, d'un trait.

Et puis : rien.

Si un homme t'avait fait venir chez lui pour te dépuceler enfin, il aurait fallu que ce soit celui-là, son mari. Mais il n'y avait aucune raison pour qu'il se rappelle seulement ton existence. Une petite bonne femme aux cheveux décolorés, ni jeune ni vieille, ni vilaine ni jolie.

Sais-tu ce qu'il aurait dit, ce qu'il aurait certainement dit si on lui avait proposé de coucher avec toi, et même en le payant pour cela ? Il aurait dit, le Noir, il aurait dit...

TANTE CLÉMENCE. – Je vais préparer quelque chose pour l'achever, qu'on en finisse.

Il est affaibli, vaincu. Ce qui résistait en lui et le protégeait doit être bien ébranlé maintenant.

TANTE JOSÉ. – Il aurait dit : Je ne veux rien avoir à faire avec la sueur de cette femme-là.

Voilà ce que le nègre aurait dit, ma douce.

TANTE CLÉMENCE. – Seule une formule peut l'abattre. Pas un couteau. Les couteaux sont justes bons pour la télé.

IX

UNE VOIX, AU-DEHORS. – Où est ton mari, ma belle ?

Pouvons-nous le voir enfin ? Pourquoi le caches-tu ?

N'as-tu pas confiance en tes vieilles amies ?

MAMAN. – Il est à Paris.
Le travail.
Les hommes sont ainsi faits.

LA VOIX. – Est-il un bon mari pour toi ?
Nous nous sommes toutes demandé ici quelle sorte de maris font ces étrangers.

MAMAN. – Tout va bien, oui.

LA VOIX. – Est-ce qu'il s'occupe bien de toi ? En tout point ?

MAMAN. – Oui.

LA VOIX. – Aucune de nous n'aurait parié un franc sur ce mariage il y a dix ans.

Tu as de la chance.

Nous nous disions : La pauvre, pourra-t-elle s'habituer à cette figure noire comme la suie ?

Une épreuve pareille, nous n'aurions jamais voulu la tenter.

Et te voilà de retour dans notre petite ville.

MAMAN. – Pas pour longtemps.

LA VOIX. – Comme nous étions sottes !

Sais-tu ce qu'on croyait encore il y a dix ans ? Veux-tu que je te le dise ?

MAMAN. – Je n'y tiens pas.

LA VOIX. – Nous pensions que, pour ces hommes-là, il y avait une saison des amours.

Comprends-tu ? Une époque où ils recherchent les femmes et une époque où ils les laissent en paix, alternativement.

Et nous nous demandions, au mariage, où cet homme-là en était présentement et s'il y avait un danger à l'approcher.

Ah, ah ! Peux-tu le croire, ma belle ? Une saison des amours, oui. Ce qu'on pouvait être ignorantes. Car il n'y a pas de saison, n'est-ce pas ? Il n'y a rien de particulier ?

Une saison des amours chez ces hommes-là, dans la chaleur de leur été permanent, là-bas – ah, ah !

X

MINA. – Non, nous ne pouvons plus nous occuper de lui.

...

Non. Nous ne pouvons plus le garder avec nous.

Mon mari ne supporte plus la présence de mon père et ce que mon père nous coûte. On ne peut pas l'assassiner, ai-je dit, moi, sa fille Mina qui vous parle. Voilà pourquoi je viens.

...

Pourquoi, moi, Mina, devrais-je prendre soin de mon père qui m'a abandonnée il y a trente ans et n'a jamais rien fait pour moi ? Pourquoi devrions-nous, mon mari et moi, dépenser le moindre argent pour subvenir aux besoins de mon père qui ne s'est jamais soucié de m'élever et de m'aider ?

...

La loi ? Oui. Mais nous sommes en

colère. Nous savons bien mais la colère ne nous quitte plus, c'est pourquoi je viens.

...

Maman ne doit rien à mon père. Elle a divorcé de lui, puis elle a épousé Zelner. Ils vivent à présent tous deux dans notre vieil appartement de Courbevoie. Maman n'a plus avec mon père aucune espèce de lien légal. Cependant ce lien existe encore et pour toujours entre lui et moi, sa fille Mina, ainsi qu'avec Ami, car si Maman a pu cesser d'être la femme de mon père, nous ne pouvons cesser d'être ses enfants. Cela aussi, oui, c'est la loi. De sorte que notre colère s'accroît de se sentir impuissante.

...

Nous avons accumulé diverses déceptions. Seule, Maman rayonne. Son allure et son visage paraissent plus jeunes que mon allure, mon visage.

...

Zelner a pris sa retraite. Comme elles sont longues, dit-il, les journées d'un professeur de lettres à la retraite. Maman ne veut plus qu'il fume. A la retraite et plus de hasch, dit Zelner, quelle drôle de vie est devenue la mienne.

Oui, ses cheveux gris sont retenus en une queue maigrelette.

...

Mon père, chaque dimanche, rend visite à Maman et à Zelner. Il frappe trois coups légers, pousse la porte et s'assoit près de Zelner dans le canapé orange.

Je viens, comprenez-vous, pour la révision du jugement qui nous contraint de porter assistance à mon père, cet homme sans subsides.

...

Non, rien n'a changé, sinon que grossissent chaque jour notre colère et notre sentiment d'injustice. Mon mari et moi, Mina, ne sommes que des petits fonctionnaires.

...

Mon père ? Maman aime le voir chez elle, dans le canapé, bien qu'il parle peu.

Elle tourne autour de lui, rabat le col de sa veste, évoque Ami et Mina, c'est-à-dire moi qui vous parle.

Elle effleure encore le visage de mon père et ce visage n'est plus ni lisse ni beau car il porte à jamais les cicatrices bourrelées, mal jointes, mal soignées, des blessures que Maman lui a faites il y a bien longtemps. L'œil gauche de mon père est à demi clos. De cet œil, il ne voit qu'à peine. Maman ne peut s'empêcher de promener la main sur le visage de mon père, ce qu'elle ne devrait pas faire, sachant que ce contact lui est douloureux. Il plisse le front sans rien dire et Maman retire ses doigts avec une grimace d'excuse. Puis elle y revient, comme pour apaiser la souffrance, mais elle n'apaise rien, elle l'envenime encore, ce qu'elle sait bien.

...

Non. La présence de mon père sur le canapé n'embarrasse plus Zelner.

Pouvons-nous lutter contre la loi ? nous sommes-nous demandé. Et nous nous sommes dit : Pas d'autre remède à notre colère que celui de démontrer que la loi est malfaisante s'appliquant à notre cas. De sorte que me voilà, moi, Mina, pour tenter de ne plus rien devoir à mon père, cet homme sans soutien. Mais qu'a-t-il jamais fait pour moi ?

...

Bien sûr. Zelner sait ce que Maman a fait autrefois à mon père. Un tel acte outrepasse ses capacités de jugement. Cela ne lui dit simplement rien, ni en bien ni en mal. Et la vie s'est écoulée et ce sont maintenant de vieilles histoires et mon père lui-même s'est transformé en vieille histoire pour Zelner.

Peut-on nous reprocher de vouloir nous décharger de lui ? Nous semblons froids et égoïstes. Il faudrait faire des sacrifices, aider son vieux père indigent. Et, oui, pourquoi pas ? Mais qu'ai-je à faire avec cet homme-là ?

...

Mon père est maintenant un homme sans âge à la face détruite. Il est encore grand, mais voûté. Mon père n'est plus svelte, il est maigre, d'une maigreur de pauvre, raide, mal répartie, sans élégance.

Mon père a encore la peau noire.

Certes, il a encore la peau noire, mais la couleur de sa peau est devenue terne, douteuse, et qu'il ait la peau noire semble être maintenant une sorte d'infirmité et non plus l'écrasant apanage du temps de sa splendeur.

Mon père est à plaindre.

...

Oui, Zelner a bien senti que mon père pouvait être plaint à présent. Il ne s'en prive pas, machinalement, sans malice ni compassion. Ce pauvre vieux Ahmed, dit Zelner qui plus jamais n'appelle mon père

Aimé, comme mon père le souhaiterait. Il semble qu'aux yeux de Zelner mon père ne mérite plus de s'appeler Aimé, et cela non parce que mon père s'est mal comporté il y a trente ans mais parce qu'il n'a pas su demeurer en haut de la montagne de mensonges et d'illusions depuis laquelle il dominait Zelner.

Zelner suppose que mon père est ainsi ramené à sa personnalité véritable.

Il suppose que la vérité de mon père est toute contenue dans l'être insignifiant, morne, taciturne et sans manières qui prend place à son côté dans le canapé orange.

...

Le plus étrange ? C'est-à-dire ?

Oh oui, oui.

Maman est toujours émue et troublée de voir mon père.

Zelner est un homme correct et bon. Il a fait preuve d'honnêteté en toutes circonstances. Mon père n'a jamais été correct ni bon ni honnête.

Il n'y a rien là d'étrange.

Mais nous sommes de tout petits fonctionnaires. Nous ne pouvons plus supporter de l'héberger, de le nourrir, de travailler pour lui. N'est-ce pas de la vertu, plus que de l'égoïsme ?

...

Non, ma sœur Ami ne peut rien. Elle traîne. Quand elle a besoin d'argent, elle passe chez Maman, à chaque fois plus défoncée que la fois d'avant. Ma sœur Ami émerge d'une défonce pour replonger dans une autre, et elle est cinglée d'une manière dont on ne peut rien faire, qui ne lui appartient pas, qui est celle des gens comme elle, passant d'une défonce à une autre et ne pensant qu'à cela.

Ma sœur Ami est descendue très bas.

Elle ne peut rien devoir à notre père.

Comme je suis en colère contre lui ! Il ne se soucie pas de sa fille Ami, pourtant tombée si bas.

...

Nous n'avions que le choix entre le prendre chez nous ou payer la pension de l'hospice.

Il n'a rien, rien.

Pourquoi, au début, m'a-t-il paru impossible d'abandonner dans sa maison de vieillards cet homme qui était mon père mais ne m'avait jamais aimée, moi, sa fille Mina, pourquoi m'a-t-il paru si nécessaire de venir en aide à cet homme au seul motif qu'il était mon père ?

Je suis en colère, mais faible aussi.

Les yeux de mon père sont les miens et son front haut et l'implantation de ses dents un peu jaunes, comme les miennes.

...

Oh, il rêve encore, il rêve encore.

Mon père m'a confié à quel point il a aimé vivre à Courbevoie autrefois, et comment tous ces noms de ville en « oie », tellement français, résonnent en lui de façon familière et caressante. Mon père rêve encore, m'a-t-il dit, d'avoir un jour son pavillon à lui dans une de ces communes en « oie ». Le problème, m'a dit mon père, est que le moindre de ces pavillons coûte maintenant une petite fortune, aussi regrette-t-il chaque jour de ne s'être pas lancé il y a vingt ans dans l'achat d'une maison de ce genre, chose qu'il aurait faite assurément, dit-il, si certaines personnes avaient bien voulu lui faire confiance. Mon père dépourvu, c'est certain, rêve encore.

...

Si on voulait me mettre le pied à l'étrier, je serais capable de montrer ce que je peux faire, prétend mon père.

...

Dément ? Non, non, ce n'est pas cela et c'est bien pire que cela.

Trois mille euros et je bâtis une fortune. Qu'est-ce que trois mille euros, aujourd'hui ? demande mon père. Mon mari, sèchement, répond : Deux mois de maison de retraite. – Vous voyez bien, dit mon père, que ce n'est rien du tout.

Nous sommes des fonctionnaires modestement gradés. Nous sommes remplis d'aigreur à son égard. Mon père ne devrait-il pas se montrer reconnaissant et non pas arrogant comme il l'est souvent ?

...

Un garçon, m'a-t-il dit, qu'il a eu autrefois et dont j'ignorais l'existence. Mon père a rencontré par hasard la mère de ce garçon dans la rue. Elle lui a appris que l'enfant était mort, depuis longtemps. Elle s'est mariée et habite à Charoie, un nom en « oie » qui a rendu mon père envieux. Mon père m'a dit qu'il est soulagé que ce garçon soit mort, quand bien même il n'allait jamais le voir et pensait rarement à lui.

...

Voilà pourquoi je viens. Si la morale la plus haute est du côté d'un froid et juste reniement de mon père, la loi doit nous aider et non pas profiter de notre irrésolution, de notre gêne et de notre honte.

Voilà pourquoi je viens aujourd'hui. Mon père est ainsi, sans gratitude et sans tact. Nous sommes à l'étroit. Mon mari voudrait voir partir mon père – mais où ?

On ne peut pas l'assassiner, ai-je dit.

Est-ce qu'il vivra longtemps ?

Le seul moyen de le faire partir serait de le marier. Mais quelle femme oserait vouloir de lui ?

XI

PAPA. – C'est moi, c'est Papa.

MAMAN. – Entre. Tu le vois, je suis seule. Tout le monde doit se retrouver au crématorium, tout à l'heure. Entre, si tu le souhaites.

PAPA. – Et si je te disais, aujourd'hui, après toutes ces années, si je te disais de nouveau : Papa est revenu – que ferais-tu de moi ?

Si je te disais, à l'instant même : Ma femme, ma chérie, permets-moi de demeurer là, sachant que c'est pour toujours – dis-moi, que ferais-tu de Papa ?

MAMAN. – Ah, mon mari est mort avant-hier. J'organise les obsèques, je réponds aux condoléances, je tâche de faire bonne figure et d'oublier ma lassitude et mon découragement.

Vois-tu, j'ai de la peine, une très grande peine.

Mon mari vient de mourir et ma fille cadette a disparu.

Il y a des mois et des mois que je n'ai pas de nouvelles d'Ami. Où est-elle, je l'ignore. Elle se porte mal et personne sans doute ne veille sur elle.

J'ai tellement de peine. Je suis désorientée, cependant je n'ai pas d'amertume. Mais je suis dans le deuil aujourd'hui et je ne me sens ni très jeune ni très vaillante pour le subir convenablement, le cou bien droit, les épaules hautes.

PAPA. – C'était un homme correct. Essaye pourtant d'entendre, sans colère, ce que je vais te dire : ce mari que tu as eu et qui vient de mourir était incomparablement meilleur que je l'ai jamais été et le serai jamais, pourtant je me félicite qu'il ne soit plus là auprès de toi, où j'ai mérité de revenir.

MAMAN. – Comme tu es pauvre et abîmé. Quel aspect misérable tu as !

Je te plains, oui, je te plains beaucoup et sans arrière-pensée.

Jamais je n'ai désiré autant de disgrâce pour toi.

PAPA. – Je suis entièrement à la charge de Mina. C'est une situation qui me fait honte, de dépendre de cette fille comme un petit enfant, mais je veux faire en sorte que la honte et l'indignité ne me privent pas tout à fait d'un peu de décence, d'un peu de splendeur légèrement hautaine.

MAMAN. – Tout cela t'a quitté depuis longtemps déjà.

Pauvre, pauvre Aimé. Regarde ton visage. Considère ta maigreur et cette allure démodée que tu as constamment maintenant. Tes mains tremblent. Tu les caches. Je le vois. Tes mains tremblent, mon petit, pauvre homme.

Non, jamais je n'ai souhaité cela.

PAPA. – Mon gendre me passe les vêtements qu'il ne porte plus. Il est plus large et plus grand que moi, mais je ne peux pas demander qu'on les mette à ma taille.

Certainement, je me regarde, et je vois quelqu'un qui ne manque pas d'une certaine distinction.

Pourquoi me réduire à ce point ? Mes mains ? Prends-les, je ne les cache pas.

MAMAN. – Même ainsi serrées dans les miennes, je ne peux pas les empêcher de trembler.

PAPA. – Papa revient mais Papa n'a rien à proposer, rien à donner que sa malheureuse carcasse vieillissante. Que peut-on bien faire de lui ?

MAMAN. – J'aimerais avoir passé toutes ces années avec toi et me trouver dans le deuil de toi aujourd'hui. Je préfèrerais que tu sois celui qu'on va brûler tout à l'heure, mon premier et unique mari avec qui j'aurais vécu tout ce temps-là – que tu sois celui-ci, même mort aujourd'hui, plutôt que l'homme qui, vingt ans après, me demande de le reprendre, et avec qui j'aurai vécu si peu. Je vais vivre si peu et si mal avec toi. Comme cela me désole. Et dans quel esprit viens-tu, dis-moi ?

PAPA. – Je ne sais pas.

MAMAN. – Est-ce que tu ne cherches qu'à changer de maison ? Qu'à délivrer Mina du poids de ta présence ?

PAPA. – Ma place est ici, auprès de toi, et je veux la reprendre, et il me semble que la mort de ce mari que tu as eu n'a pas d'autre sens que celui-là, pas d'autre valeur que cela : laisser, enfin, revenir Papa. N'étant plus rien et n'ayant rien, je ne peux que t'implorer. Mais à quoi bon ? Car je ne partirai pas d'ici.

MAMAN. – Tu es tout constitué de mensonge et de tromperie. Oh, je sais bien maintenant qu'au plus fort de mon amour pour toi, autrefois, tu étais fait déjà de cette matière-là, et même si je l'ignorais c'était tout de même un tel homme que j'aimais fanatiquement. Je le sais bien. Alors, si aujourd'hui tu as cessé de mentir, quelle espèce d'inconnu es-tu ?

Je suis perdue. Je voudrais revoir ma plus jeune fille et prendre soin d'elle. Elle est ta fille aussi et, pourtant, je ne sais plus qui tu es. Es-tu sincère ? Je suis perdue. Mais tu as besoin d'un toit.

PAPA. – Papa revient pour de bon. Il n'y a plus d'enfants, néanmoins Papa reste Papa. Je ne supplie pas, je ne mendie pas.

MAMAN. – Viens, partons. C'est l'heure de la cérémonie.

PAPA. – Je n'ai besoin de rien. Je n'ai plus d'éclat mais il me semble chaque jour que mon empire est intact.

MAMAN. – Dépêchons-nous. Je dois être la première arrivée au crématorium – il est mort : n'est-ce pas incroyable ?

PAPA. – Au cœur même de la plus humiliante des situations, jamais je ne me suis humilié.

Ma chérie, personne, jamais, n'a pu me mépriser. Ni tes parents ni l'entourage, et bien que j'aie été souvent au cours de ma vie mauvais, impudent et déloyal, bien que j'aie été haï pour de bonnes raisons parfois, nul, dans ce pays, n'a jamais réussi tout à fait à me rabaisser franchement dans son propre esprit.

Je n'ai pas été bon, je n'ai pas été dévoué. Ma peau était d'un noir magistral et, pour certains, outrageant, inadmissible. Je n'ai pas remercié la France, même quand elle m'a bien traité. Et pourtant je suis là, vivant, et j'ai pour toi une grande tendresse. N'ai-je pas été marié qu'une fois, en ce qui me concerne ?

MAMAN. – Allons-y, allons-y. Nous verrons plus tard. Quant à moi... Je suis dans le deuil, mais... J'ai toujours eu pour toi, oui... un amour inexplicable.

CET OUVRAGE A ÉTÉ ACHEVÉ D'IMPRIMER
LE SEIZE DÉCEMBRE DEUX MILLE DEUX
DANS LES ATELIERS DE NORMANDIE ROTO
IMPRESSION S.A.S. À LONRAI (61250) (FRANCE)
N° D'ÉDITEUR : 3713
N° D'IMPRIMEUR : 020518

Dépôt légal : janvier 2003